Christine
Marceline Desbordes-Valmore

AF193628

NOVELLIX
— stories to go —

www.novellix.fr

Cette nouvelle a été publiée dans *Huit femmes*, 1845,
Éditions Chlendowski.

Couverture : Lisa Benk
Mise en page : Marine Gheeraert
Publié par Novellix, Paris, 2022
Impression : Livonia Print, Riga, 2022
ISBN: 978-91-7589-561-1

Novellix s'investit dans la lutte contre le changement climatique : les livres sont imprimés
sur du papier certifié FSC. La production est compensée par un partenariat avec Climate-
Calc pour financer le projet de préservation climatique :
Safe Community Water Supply au Rwanda (southpole.com).

La Fille du Ministre

– Voudrais-tu être reine, Christine ?
Cette question d'un vieillard qui plongeait ses yeux
à demi fermés au fond d'un échiquier dont les pièces
gisaient éparses, dans le désordre de soldats couchés
après une bataille, était négligemment jetée à la suite
d'une longue leçon d'échecs, sur laquelle il avait épui-
sé toute la patience de sa fille.
– Reine des cœurs ? demanda la gracieuse enfant sans
relever sa tête inclinée sur un riche coussin de velours
noir, où elle nourrissait elle-même un affreux petit
dogue qu'elle aimait avec passion.
– Reine des cœurs, ma fille ! Cet empire est déjà le
tien, répliqua d'un ton d'insouciance affectée le ministre qui déposait souvent sa gravité auprès de la
riante Christine. Il roulait alors entre ses doigts une
magnifique tabatière ornée de gros diamants, qui

encerclaient une petite miniature, portrait et présent d'un roi fort laid.

– Mais, continua-t-il, parlant comme au hasard, est-ce là ta seule ambition ?

– Comment l'étendrais-je plus loin mon père ? J'ai déjà plus de sujets que je n'ai de science pour les gouverner.

– Oh ! oh ! je ne me serais pas douté, mon enfant, que vous eussiez des sujets. Vous êtes au moins trop prudente pour encourager leurs hommages.

– Vraiment ! répliqua Christine en agaçant le jeune dogue qui grinçait des dents, je ne leur suis pas trop obligée d'hommages qui me sont dus. Il n'y en a qu'un dans le monde pour lequel j'en ressens la plus tendre gratitude !

Le sourcil du premier ministre de Suède se fronça.

– Quel est cet homme, Christine ?

Christine rougit, regarda son père avec un étonnement enchanteur, et redoubla ses caresses à son petit chien hargneux. Le comte, d'un ton plus serré, renouvela sa question :

– Quel est cet homme, Christine ?

– Qui serait-ce donc, sinon Adolphe de Hesse, votre beau neveu, cher père ?

– Vous n'avez pas été, je pense, assez hardie pour vous engager d'amour avec ce jeune garçon ?

– Jeune, de dix-huit ans, mon père ! C'est mon plus

vieil ami. J'étudie tout avec lui, mais je ne peux me ressouvenir depuis quand j'ai appris à l'aimer, tant il y a déjà longtemps !

– Folie ! vous avez été élevés ensemble chez sa mère, qui vous en servait : c'est un pur amour fraternel.

– Du tout ! du tout ! je serais bien fâchée qu'Adolphe fût mon frère !

– C'est pourtant tout ce que je peux faire pour son service. Il est sans fortune ; il n'a pas d'autre état que sa commission et ma bonté…

– Votre bonté est immense, mon doux seigneur ! et puis il est brave, il est magnanime ! Pour moi, quand j'ai fait attention qu'il avait les yeux plus tendres que quand il était petit, qu'il parlait mieux que tous les grands, je n'ai pas interrogé la profondeur de ses trésors.

– Ma chère fille, il faudra l'oublier, dit le comte en passant amicalement le bras autour du fin corsage de Christine, encore à genoux devant son chien.

– Mon bon père, je ne l'essaierai pas, car je ne saurais par où m'y prendre ; d'ailleurs, vous l'aimez trop vous-même.

– Pas assez pour en faire mon héritier.

– Il le serait pourtant si je mourais, mon père !

Le ministre regarda fixement le visage jeune et rose de sa fille comme pour plonger à travers ; et le pli d'effroi paternel qui s'était formé entre ses deux yeux disparut comme un éclair.

– Il n'y a là que de la vie, dit-il en lui frappant gaîment sur le front. Aussi, je ne songe qu'à marier cette méchante fille.

– Et vous nous rendrez les deux enfants les plus heureux de ce monde, répondit Christine, dont les yeux noirs étincelaient à travers ses larmes.

– Ma pauvre fille, vous avez été bien gâtée ! Je vous ai donné trop de licence et de liberté. Voilà présentement que vous me demandez l'impossible. Soyez raisonnable ; et pour vous distraire un peu, votre tante vous présentera à la cour. Vous verrez de belles choses ; vous connaîtrez notre brave et jeune roi… si vous êtes raisonnable.

– Le rude monstre ! s'écria Christine en se levant avec vivacité. Je ne souhaite pas le voir ; on dit qu'il hait les femmes.

– C'est une calomnie : il est amoureux d'une.

– D'une belle !

– Et méchante comme toi.

– Comme moi ?

Le comte se mit à rire. L'instinct de Christine s'éveilla, car elle répondit après avoir un peu rêvé :

– Je ne l'ai pourtant jamais vu !

– Mais il t'a vue ; et il dit…

– Que dit-il, mon père ?

– Que t'importe d'un monstre qui déteste les femmes ?

– Ah ! mais le monstre est roi. Que dit-il, enfin ? que peut-il dire ? Je veux le savoir, mon père. Ah ! mon père, dites donc !

Mais le ministre était déterminé à garder le silence. Nulle prière, nulle séduction de la jeune, de la savante Christine, ne put lui arracher une parole de plus.

– À propos ! s'écria-t-il tout à coup, comme se rappelant une chose qu'il craignait d'oublier, parlons d'un sujet sérieux : j'amènerai ce soir un brave officier pour souper avec moi. Recevez-le bien ; recevez-le avec déférence ; je vous le destine pour mari.

– Je ne veux pas de lui ! cria Christine en courant après son père comme il sortait de la chambre. Si je n'épouse pas mon soldat, je veux mourir fille.

– Que l'amour t'exauce, cousine, dit Adolphe de Hesse en sortant de dessous les longs rideaux de lampas frangés d'or où il étouffait depuis un quart d'heure. Il est doux de faire l'espion pour entendre un avocat tel que toi plaider une cause si désespérée que la mienne !

– Désespérée ! comment ? Quand la bataille est à demi-gagnée ! La colère de mon père est une pluie sur l'herbe : un rayon de soleil l'évapore. Ne le connais-tu pas, Adolphe ? Je t'en prie, ne soupire pas ; ne croise pas ainsi les bras ; ne regarde pas le ciel avec cet air solennel. Je n'ai pas envie de gémir, moi : je veux du bonheur, de la joie, un bal : eh bien ! l'amour accordera l'orchestre, et nous danserons gaîment au bal de notre mariage.

– L'espérance t'abuse, Christine ; je connais ton père mieux que toi. Ah ! ma bien-aimée ! poursuivit-il en examinant avec effroi la beauté de la jeune fille, tu n'auras pas le courage de refuser le jouet magnifique qu'il veut t'offrir en échange du cœur ardent et dévoué de ton cousin.

Christine à son tour le regarda entre les deux yeux, et les siens se remplirent de larmes ; mais comme elle ne pouvait s'arrêter longtemps sur une idée triste, elle essaya un peu de colère.

– Vous ne me croyez pas destinée à augmenter la liste des amantes fidèles, à ce que je vois, et cela en dépit même de la dernière preuve que vous venez de surprendre de ma bonne foi, espion !

– Sèche cette larme, Christine ! je ne suis pas assez stoïque pour braver une telle éloquence.

– Pourquoi me fais-tu pleurer ? dit Christine en souriant déjà. Était-ce donc pour le plaisir enfantin de sécher des larmes avec tes lèvres ? ou bien étais-tu en effet jaloux de quelque rival imaginaire ? que sais-je : de cet antidote aux émotions tendres du cœur ; du jeune comte Ericson, peut-être ?

– Ericson te déplaît, je n'en suis pas en peine. Il n'est

guère d'ailleurs plus riche que moi. Mais, Christine ! …

– Pourquoi soupires-tu encore ?

– Ton père l'amène ce soir un nouvel amant, et moi je serai oublié.

– Tu le mérites pour oser le prévoir, pour m'offenser de tes soupçons : mais tu es mon cousin, et je te pardonne cette fois de plus, dit-elle en passant sa tête souple et caressante sous les deux mains d'Adolphe qu'elle tenait dans les siennes.

– Tu m'aimes donc bien réellement, Christine ?

– Je ne te l'ai dit que cent fois, ingrat ! tu dois être étourdi de la répétition d'un mot si court.

– Il est si nouveau pour moi, grand Dieu ?

– Eh bien ! nous nous aimons, voilà qui est sûr. Comme mon père ne veut pas donner encore son consentement à notre union, il faut l'attendre.

– Et s'il ne veut jamais ?

– Jamais ! est-ce qu'on dit cela ?

– Christine, je le crains.

– Oh bien ! alors, il faudra toujours rester ainsi ; le bonheur ne s'augmente point par un acte de rébellion.

– Je le pense : mais tu es donc heureuse, toi ?

– Quelle demande ! je te vois tous les jours ; est-ce qu'il nous manque quelque chose ?

Adolphe la regarda rêveur sans lui répondre d'abord,

puis il dit avec un profond soupir :

– Je te trouve bien prudente.

– Je ne veux pas briser un cœur de père.

– Non, mais le mien.

– Adolphe, si je ne suis pas ta femme par le consentement de mon père, je n'en épouserai jamais un autre ; voilà tout, tout ce que je peux te promettre.

Le jeune soldat se rembrunit ; marcha vivement à travers la chambre, s'arrêtant à chaque tour pour contempler ce doux tyran qui le tenait si insoucieusement dans ses chaînes. Christine essayait de se maintenir grave ; mais deux fossettes, qui donnaient beaucoup de charme à sa bouche, étaient près de reparaître sur la plus légère provocation à ce rire du cœur qui le faisait battre avec tant d'égalité. Celui d'Adolphe ne palpitait pas sur ce mode facile ; c'était un amant tout entier, dont l'imagination jalouse et pénétrante ne considérait plus Christine que comme un trésor gardé par deux monstres propres à tuer toutes les espérances : l'ambition et l'avarice.

Pour elle, ignorante des desseins de son père, confiante dans l'amour de son bien-aimé parent, la fille candide du vieux courtisan ne voyait pas un nuage sur l'avenir, elle était au contraire singulièrement égayée par les bouderies de son amant, dont les yeux lançaient des flammes sans qu'il osât se plaindre davantage. Ce dernier, hors de lui-même, trop jeune encore pour maîtriser la torture des réflexions qui l'étouffaient, tremblant d'en effrayer l'innocence de Christine, se dédommagea de ne pouvoir exciter sa compassion en se déchirant lui-même :

– J'ai été bien fou ! s'écria-t-il ; oh ! je mérite… tout ce m'arrivera. Oui, de par le ciel ! avoir souffert qu'une passion insensée me trompât ! Allons, il faut en finir : je ne paierai point la dette que je dois à ton père en lui dérobant son unique enfant. Adieu, Christine ! je vais joindre mon régiment. Je compte sur la pitié d'une bonne bataille ; au moins tu penseras avec un peu de tristesse à ton ami perdu.

Sa voix s'altéra ; Christine poussa un cri, et ses pleurs jaillirent avec abondance, car Adolphe était à ses pieds, qui lui pardonnait et lui demandait pardon. Sa belliqueuse résolution s'y fondit comme le plomb dans la flamme ; et les jeunes amans ne se quittèrent que plus passionnément épris l'un de l'autre.

Échec au roi

S'il est vrai qu'Adolphe fût trop prompt à désespérer du succès de son amour, Christine était aussi trop lente à croire que nulle opposition n'entraverait sérieusement leurs désirs. Son pouvoir était grand sur son père, mais il n'était pas sans borne. Bien qu'elle régnât en reine absolue dans leur intime gouvernement, où son goût, ses inclinations et ses caprices, étaient consultés en toutes choses, son pouvoir ne s'étendait pas plus loin. C'est celui que tout homme puissant, absorbé par de hauts intérêts, daigne accorder à la femme. Tout sujet politique était donc resté pour Christine un véritable fruit défendu. Le diplomate ne supportait nulle voix féminine en affaires d'état. Depuis peu cependant il avait révélé beaucoup de nouvelles de la cour à sa fille, et toujours il s'en allait louant le jeune monarque dont il se flattait d'être le seul favori, rapportant jour par jour de somptueuses marques de sa munificence.

Il est donc facile de s'expliquer comment ce prince guerrier, dont les précoces conquêtes avaient rempli l'Europe d'étonnement et d'admiration, s'était fait, par un jour de curiosité toute neuve en lui, introduire secrètement auprès de la belle Christine, et par quelle influence, en dépit de son antipathie déclarée pour le sexe qui ne se bat point, il était alors au nombre des admirateurs cachés d'une jeune fille solitaire et charmante. Ce premier succès avait puissamment exalté les ambitieuses visions du père de cette jeune fille. Il n'était pas d'ailleurs fort déraisonnable de supposer que le jeune homme qui avait commencé son règne en se couronnant lui-même, dont l'énergique volonté venait d'abattre les forces réunies du Danemark, de la Saxe et de la Russie, ne se soumettrait jamais à consulter timidement l'étiquette des cours pour le choix d'une compagne. Qui pouvait, dès-lors, empêcher que dans sa riche et belle héritière, le comte Piper s'accoutumât doucement à voir la future reine de Suède ?

Tout suivait donc son cours naturel dans la fragile humanité : l'admiration à demi-révélée du jeune roi pour ses charmes ne manqua pas de produire une impression vive sur un tendre orgueil de femme.

Ericson, l'affreux Ericson et le bel Adolphe savaient qu'elle était belle ; mais l'assentiment d'un roi est d'une valeur merveilleuse devant tout l'univers et jusque dans l'avenir, où vivent les rois. Ce rêve caressant la remplissait d'une gaîté si vive, en même temps si pure, que ce qui eût paru insoutenable dans un esprit ambitieux et rusé, augmentait le charme irrésistible d'une jeune fille sincère, amoureuse d'éclat, ravie enfin d'une distinction qui justifiait la passion d'Adolphe sans alarmer son innocence. Peut-être en effet son amour pour lui n'en était-il que plus complet, plus pieux, plus fier. Elle ne voyait au loin tous ces regards attachés sur elle que pour lui dire à lui, dans un seul regard :

– Je te les donne tous !

En effet : c'était seulement quand il s'approchait d'elle que sa voix devenait tremblante ; que l'éclat de ses yeux devenait humide, et que son cœur battait d'une sympathie invincible. Christine n'aurait pas voulu mourir de son amour, mais elle voulait en vivre, et, violemment séparée de l'objet de cet amour vierge et vrai, elle en eût traîné partout une douloureuse et ineffaçable impression.

Mais cela ne pouvait être ; mais ils seraient toujours ensemble ; mais, en dépit des troubles de son inquiet amant, une attraction fort peu combattue l'entraîna vers son miroir. Elle y regarda longtemps ce qu'un gagneur de batailles pouvait trouver de si attrayant dans une forme si délicate et si peu comparable à ses belliqueuses conquêtes.

Elle se rappela l'ordre que son père lui avait donné de faire les honneurs du repas qu'il offrait le soir même à quelque nouvel ami, et suivit ponctuellement cet ordre en ajoutant à sa parure tout ce qui pouvait combler d'orgueil le père le plus épris de la beauté de son enfant. Aussi, quand elle entra dans la salle tiède et parfumée par ses soins, où le souper était préparé avec une magnificence inhabituelle, pour le riche ministre et son hôte unique, elle y parut assez ravissante pour l'adoration d'une cour entière.

Rien ne peut donc décrire l'étonnement et le dépit de la brillante Christine, lorsqu'au lieu d'un étranger de distinction qu'elle s'attendait à frapper de ses charmes, elle reconnut dans celui qui se leva gauchement à son approche pour la conduire vers la table, l'odieux Ericson, l'objet de son unique aversion, le but méprisé des sarcasmes de sa joyeuse malice.

– Qu'a donc mon père pour se moquer ainsi de moi ce soir ? pensa-t-elle en regardant de côté cette figure trop connue. Oh ! c'est bien lui ! poursuivit-elle, étouffant un soupir et une envie de rire incommode qui se combattaient ensemble.

– Qu'est-ce qu'il me veut donc, ce laid capitaine, avec ses deux gros yeux d'un bleu de porcelaine, et ses longs cheveux jaunes frisés à l'enfant ?

Sa haine intègre n'ajoutait rien au disgracieux portrait qu'elle tirait à part du grand jeune homme osseux et inélégant qui posait devant elle, avec son nez ultra-aquilin, ses joues rugueuses, et l'incivile hardiesse de son regard militaire, qui semblait prendre d'assaut les charmes frêles et boudeurs de cette fière sensitive.

Tel était, en tout point Ericson, depuis peu de semaines le plus constant visiteur du ministre, avec lequel il demeurait enfermé durant des heures entières. En vain Christine, dans le désespoir d'une délicieuse toilette perdue, se fût résignée à subir ses galanteries et sa vulgaire admiration : cette machine de guerre fût restée six mois devant elle sans qu'il en sortît un compliment. La seule manifestation du trouble qui dérangeait sa gravité confiante, c'était de rire bruyamment de ses propres paroles aussi lourdes que lui.

Christine, dans la contrainte où la tenait son respect pour son père, semblait chercher à tout moment par quelle porte pourrait se sauver l'ennui mêlé d'indignation que lui causait la présence d'un tel prétendant. Son cœur, plein d'une image charmante, irrité de la présomption de ce rival haï, lui suggérait de s'écrier : « Le comte Ericson ton rival, miséricorde ! le comte Ericson ! » Et comme si l'insoutenable Ericson eût eu la conscience des réflexions hostiles qu'il inspirait, il s'efforça tout à coup de lancer au-dehors tous ses pouvoirs de plaire et de se frayer une route nouvelle dans les bonnes grâces de la belle silencieuse.

Il lui demanda brusquement :

– Que pensez-vous d'Alexandre-le-Grand ?

Christine partit d'un candide éclat de rire au nez du sérieux questionneur.

– Jamais je ne pense à Alexandre-le-Grand, répondit-elle. Je me rappelle seulement qu'en lisant son histoire, j'en avais peur comme d'un fou ou d'un homme enragé.

Ericson réclama vivement en faveur du courage le plus prodigieux que le monde ait jamais admiré.

– S'il eût été prodigieusement sage, comme il était prodigieusement conquérant, il eût appris à se gouverner avant d'apprendre le gouvernement du monde, riposta la petite raisonneuse.

Ericson rougit jusque dans ses cheveux ardents et frisés. Il répliqua presque avec emportement :

– Une femme peut-elle apprécier la noble fièvre qui précipite un homme de courage dans une foule de dangers, qui le porte à mépriser la vie avec toutes ses fades jouissances, pour mériter une couronne immortelle ?

– Non, répondit-elle simplement ; je n'ai point de fièvre, et nulle sympathie pour les destructeurs. Si j'ambitionnais une célébrité, je voudrais l'attirer sur moi par les bénédictions des spectateurs de ma vie. Oui, mon père ! oui ! poursuivit-elle sans obéir au regard répressif du ministre qui lui commandait le silence :

– J'aimerais mieux qu'ils vécussent pour me bénir, que de mourir m'admirant. C'est affreux les tueurs d'hommes ! N'en parlons, messeigneurs, que pour prier le ciel d'en délivrer la terre.

– Enfant ! murmura le ministre à la torture, en remplissant le verre d'Ericson stupéfait, et s'efforçant de le distraire :

– À la gloire d'Alexandre, comte !

– Bien dit ! s'écria le guerrier en mouillant sa colère d'un vin délicieux. Allons ! petite sauvage : À la gloire d'Alexandre ! Et il heurta la coupe brillante de Christine, de manière à la briser en éclats.

– Je n'ai point de soif pour une telle gloire ! répliqua la mutine exaltée. Je ne boirai pas à ces phénomènes malfaisants qui cachent une peau de tigre sous leur manteau de roi.

– Seigneur ! Seigneur ! interrompit le courtisan effrayé du courroux de son hôte, dont les yeux brillaient comme la lame d'un sabre. Les saillies d'une petite fille monteront-elles jusqu'à votre éperon ! Elle n'est folle encore que de son petit chien, qui peut impunément la mordre et déchirer ses doigts, faibles comme des fuseaux. Voyez ! poursuivit-il négligemment, tandis que l'indignation du soldat s'amortissait à la vue de cette petite main d'enfant qu'on avançait presque sous sa moustache. Ses notions de guerre sont jusqu'ici bornées à la marche du jeu d'échecs. Cet espace étroit est son champ de bataille, continua-t-il en approchant lui-même la table où se trouvait placé à dessein le jeu passionnément aimé d'Ericson. Elle y combat si courageusement le général, que même un vieux soldat comme moi trouve quelque honneur à y réduire sa pétulante obstination de femme.

Rien n'était, par bonheur, plus propre à recomposer le maintien compromis du farouche Ericson que la perspective d'une partie d'échecs ; car, se retournant vers la rieuse et colérique enfant, il lui jeta plus courtoisement qu'elle ne l'en supposait capable, le défi d'une bataille avec lui.

– Mais, si je vous battais ! répartit-elle en reprenant toute sa gaîté.

– Ce n'est pas là seulement que j'aurais été vaincu par vous, méchante belle ! dit-il en la regardant en face, et serrant sa main à la faire crier.

Christine rougit et baissa les yeux sur la table, non

sans les avoir lancés pleins de dédain sur le maladroit émancipé. Mais la glace était rompue, le *papillon* engourdi prenait ses ailes.

Il rencontra donc et soutint ce fier regard avec une défiance assez insolente de sa sincérité.

– Il y a plus de fougue dans cet automate qu'il ne m'avait semblé, pensa confusément Christine, et mon père me force à jouer un jeu menaçant pour moi.

Elle cacha sous sa main sa joue plus colorée, et fixa constamment les yeux sur l'échiquier, déterminée qu'elle était par un vif accès d'humeur, à jouer aussi mal que possible pour mortifier son orgueilleux adversaire.

Ce soin était inutile. Le petit champ de bataille tremblait sous les mains agitées d'Ericson, qui, reconnaissant à peine les pièces, les poussait à tort et à travers.

Ses attaques sans jugement devinrent si faciles à déjouer, que la novice écolière, avec l'innocente joie que donne un succès inattendu, s'écria triomphante :

– Échec au roi par la reine !

– Cruelle ! riposta le comte en frappant du poing au milieu des pièces qui culbutèrent en désordre, ne souhaitez-vous pas faire le roi votre esclave ?

– Mais je n'empêche pas qu'il se sauve ! dit Christine épouvantée de tant de rudesse, et stupéfaite du calme profond de son père, qui observait tout avec un indulgent sourire.

– Impossible maintenant de s'y reconnaître, poursuivit-elle en cherchant à remettre sur pied roi, reine et peuple confondus dans une affreuse mêlée.

– N'essayez pas ! n'essayez pas ! cria Ericson comme hors de lui, en poussant violemment l'échiquier qui tomba sur le parquet. Le coup est décidé, vous m'avez fait échec et mat.

Tout à coup, comme honteux de sa violence et de l'influence qu'il laissait prendre sur lui par une si *mièvre chose*, il sortit de l'air le plus hagard et le plus défait du monde, embarrassant ses pieds dans son sabre, donnant au diable sa maladresse aussi bien que l'amour qui en était cause.

Le Soufflet

– Il ne reviendra plus, j'espère ! dit Christine, en voyant au bout d'une heure rentrer son père qui s'était précipité sur les pas d'Ericson avec autant d'empressement que s'il eût été le plus aimable des convives.

– C'est ce qui vous trompe, ma chère, répondit le ministre plus joyeux qu'avant le désastre. Il brûle déjà de revenir, et ne se console pas d'avoir employé si mal les deux heures enchantées qu'il vous doit.

– Enchantées ! quoi ! c'est ainsi qu'il les aime ! répartit-elle avec étonnement. Pour moi, mon père, je suis… je ne sais vraiment ce que je suis ! interrompit-elle, pleurant presque de voir rire son père, dont elle eût préféré les reproches. C'est pour m'éprouver, n'est-ce pas, que vous me faites croire qu'un pareil homme ose prétendre à me plaire ? Ah ! je le crois plus amoureux d'Alexandre que de moi, et il fait bien !

– Enthousiasme louable dans un guerrier de dix-neuf ans, dont vous apprivoiserez la sauvage ambition. Il est déjà dans un grand trouble, bien flatteur sans doute pour une jeune étourdie comme vous, mais il faut le contrarier avec plus de mesure, entendez-vous, mon ange ? il est brave, riche, et noblement né ; que désirez-vous de plus ?

– Mon cousin ! répliqua franchement Christine, mon seul Adolphe, plus brave que lui, j'en suis sûre, et aussi noble que vous, mon honorable père !

– Allez reposer cette mauvaise tête, dit-il en la baisant au front, et priez Dieu pour la gloire de votre père.

Christine pria fidèlement et de tout son cœur pour la gloire paternelle ; après quoi elle ajouta la plus fervente des prières pour le bonheur d'Adolphe, qu'elle ne séparait pas du sien. Mais, par un bizarre contraste, trop fréquent dans une jeune fille, elle fut durant plusieurs jours trop occupée à tourmenter l'amant qu'elle adorait pour se ressouvenir de celui qu'elle haïssait si fort. Tout à coup, Adolphe, plus fier que Christine, parce qu'il était plus pauvre, ne voulut plus jouer à ce jeu d'esclave qui plaisait tant à sa folle maîtresse. Il eut l'immense courage de s'absenter quelquefois de cette maison, laissant croire à Christine consternée, croyant peut-être lui-même, qu'il l'abandonnerait aux poursuites de son riche prétendant. Quand il reparaissait, durant de courtes visites reçues sans beaucoup de chaleur par son oncle cuirassé de diplomatie, il se tenait à une telle distance de Christine, à son tour rêveuse et bouleversée, qu'elle ne vit plus d'autre moyen de retrouver le repos et Adolphe qu'en détruisant à jamais l'audacieuse prétention du comte. Un matin qu'elle avait désiré, peut-être plus ardemment qu'Ericson lui-même, demeurer seule avec lui, après avoir suivi des yeux son père jusqu'au bout d'une longue galerie où il disparut sous le prétexte d'une dépêche importante à expédier, elle attendit avec anxiété qu'Ericson prît la parole. C'était pour lui répondre de manière à ce qu'il n'y revînt pas, ce fut vainement. On eût dit que cet amoureux contemplatif n'avait ni lèvres ni voix. Christine étouffait d'impatience.

– J'ai rêvé de vous cette nuit, dit-elle enfin pour entamer une querelle décisive. J'espère qu'à l'avenir vous n'aurez pas la présomption de troubler mon sommeil par votre présence. Je vous trouve bien hardi d'oser vous montrer jusque dans mes rêves.

– Moi aussi j'ai eu un songe, répondit Ericson troublé, n'ayant bien compris que les premières paroles de cette impertinente provocation. J'ai rêvé que vous me regardiez en souriant, que vous me regardiez longtemps, et j'étais heureux.

– C'était un mensonge, appuya-t-elle avec une féroce naïveté. Je sais mieux, quand je veille ou quand je dors, sur qui je dois attacher mes regards.

– Comment vous suis-je donc apparu cette nuit ? demanda le comte Ericson avec un étonnement singulier que Christine trouva stupide.

– En cauchemar, seigneur, aussi insupportable qu'aujourd'hui.

– Méprisante fille ! enseigne-moi donc à te faire l'amour ! s'écria-t-il en imprimant avec vivacité un baiser sur ses lèvres pourpres de colère.

Cette licence inouïe, dont Christine trouva l'ardeur effrénée, fut payée par un soufflet si prompt et si haineux, que l'offenseur, en cachant sa joue rougissante, s'émerveilla qu'il eût été appliqué par *ces doigts faibles comme des fuseaux*. Un obus l'eût frappé de moins de surprise.

– Votre père m'a trompé, dit-il après un assez long silence et du ton le plus grave ; il m'a laissé croire que vous ne receviez pas mes visites avec indifférence.

– Mon père ne se connaît point dans ces choses-là, répliqua Christine avec une courageuse indignation, car il n'eût jamais présenté à sa fille un jeune homme aussi mal élevé. Au reste, et à tout prendre, il vous a dit vrai, car vous n'êtes pas pour moi un objet d'indifférence, vous ne pouvez l'être, entendez-vous, comte Ericson ? Adolphe entendit ces dernières paroles de la voix altérée de Christine, comme il entrait précipitamment pour rompre un tête-à-tête qui le faisait mourir de jalousie.

– Qui êtes-vous ? demanda impérieusement Ericson, et d'un ton si rempli d'autorité que Christine eût bien voulu le battre encore.

– Un soldat, répondit Adolphe, les dents serrées, avant tiré son sabre et le jetant tout à coup sur la table. Un soldat blessé pour l'honneur de son pays, et qui veut mourir pour le défendre.

– Nous sommes donc amis ? dit Ericson en lui tendant la main.

– Nous sommes rivaux, répartit Adolphe en se reculant vers la table.

– Christine vous aime ?

– Elle me l'a dit. Fiez-vous à votre tour à la foi d'une jeune fille ! Vous n'êtes pas pour elle un *objet d'indifférence*, et je vous cède la place auprès d'elle.

– À qui ? s'écria Christine frémissante, les larmes aux yeux.

– Au roi ! répondit Adolphe en s'éloignant avec désespoir.

Christine tomba sur une chaise, et ensevelit sa figure sous ses mains.

– Restez ! cria Charles XII d'une voix tonnante. Restez donc !

Le jeune homme obéit en se mordant les lèvres jusqu'au sang.

– Je vous ai vu ; mais où ? … jamais dans cette maison, ce me semble.

– Elle m'était fermée par mon oncle quand vous deviez y venir.

– Pourtant, je vous ai vu quelque part. Votre nom ?

– Adolphe de Hesse, fils d'un officier mort en se battant pour vous. Il m'a laissé sa misère et les pleurs de sa veuve.

– Qui vous a dit que je ne sois pas Ericson ?

– Mes yeux, car je vous regarde. Je vous reconnais aussi, moi.

Charles XII, en s'approchant de son soldat, dont les yeux s'allumaient comme ceux d'un jeune lion, s'arrêta tout à coup frappé de souvenir.

– D'où le vient cette cicatrice sur la tempe gauche ?

– De Narva, sire, où avec une poignée d'hommes, votre majesté défit les armées de Russie.

– Tu dis vrai ! s'écria Charles ivre de joie, comme s'il respirait tout à coup la poudre de cette bataille. Puis, sautant au cou d'Adolphe et posant le doigt sur sa cicatrice :

– Tu n'avais pas besoin d'autre passeport pour arriver jusqu'à moi, même pour te battre contre moi, comme je jurerais que tu en as grande envie. Le jour dont tu me parles, j'ai appris comme toi le rôle d'un soldat et la vraie dignité de l'homme. Au nom des mille bombes qui nous pleuvaient au visage, donne-moi ta main, frère ! nous avons été baptisés ensemble par le sang. Charles XII parut pour lors à Christine grand et imposant comme une forteresse. Et lui, se retournant tout à coup vers la jeune fille dont la curiosité avait séché les larmes, lui dit avec une gaîté qui n'était pas sans grâce :

– Par mon sabre ! Christine, je suis un triste soupirant. Un seul geste de ta main vient d'étouffer dans mon cœur tous les amours qui l'avaient pris par trahison. Parle donc aussi franchement que tu agis : aimes-tu ce brave ?

– Je l'aime, sire.

– Qui empêche ce mariage ?

– Celui du comte Ericson, dont mon père me menace incessamment.

– Oh ! oh ! pensa Charles en souriant à part avec réflexion : je vois au fond des choses maintenant. Le roi n'a point regret au baiser, puisque le soufflet tombe sur la joue du courtisan.

– Christine ! ajouta-t-il en reprenant sans contrainte le ton du commandement : ton père refuse de te donner à celui que tu préfères ; tu l'épouseras pourtant, parce que *je le veux*. Conviens que si je fus ton cauchemar comme amant, je ne suis pas ton ennemi comme roi.

– Je l'avoue à genoux ! dit l'orgueilleuse en y tombant avec son heureux cousin.

Tandis que Charles XII, penché sur la rougissante coupable, unissait leurs mains avec une bonté brusque, il imprima sur ce front le dernier hommage que ses lèvres aient jamais rendu à une femme.

– Sa Majesté me pardonne donc ? murmura la tremblante espiègle. Si j'avais su que c'était le roi, je n'aurais pas frappé si fort.

– Reconnais le roi seulement à la manière dont il se venge, Christine.

Tout à coup, saisi d'un sentiment de prévision triste, mais rayonnant de passion et comme en regardant loin devant lui, il ajouta :

– Ma seule amante, à moi, doit être fiancée sur le champ de bataille. Elle me couronnera dans les hourras de la victoire. Je ne regretterai pas ce qu'elle va me coûter.

Le soir même il fit signer à son premier ministre, soumis et furieux, un contrat de mariage qui n'était pas celui du comte Ericson, bien qu'honoré du nom de Charles XII. Deux jours après, il assistait aux noces somptueuses de Christine. Adolphe de Hesse y portait ses plus nobles insignes, et le politique seul, qui souriait pourtant de son sourire de cour, trouva la réalité moins royale que son rêve.